QUIJOTE Y YO

ESTAMOS TRISTES

CONSTANZA ONTANEDA

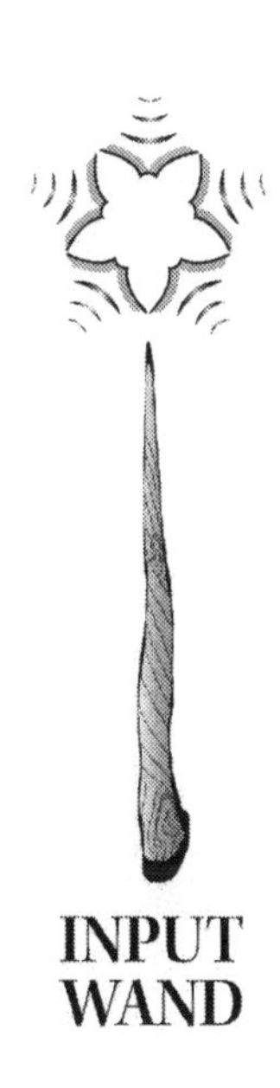

QUIJOTE Y YO: ESTAMOS TRISTES

EBook ISBN: 978-1-68565-003-2
Trade Paperback ISBN: 978-1-68565-002-5
Cover design by Marcia Fernandez & Constanza Ontaneda
Cover artwork by Marcia Fernandez
Published by FountKor, LLC
237 Sullivan Place, Brooklyn, NY, 11225
Constanza Ontaneda, Publisher

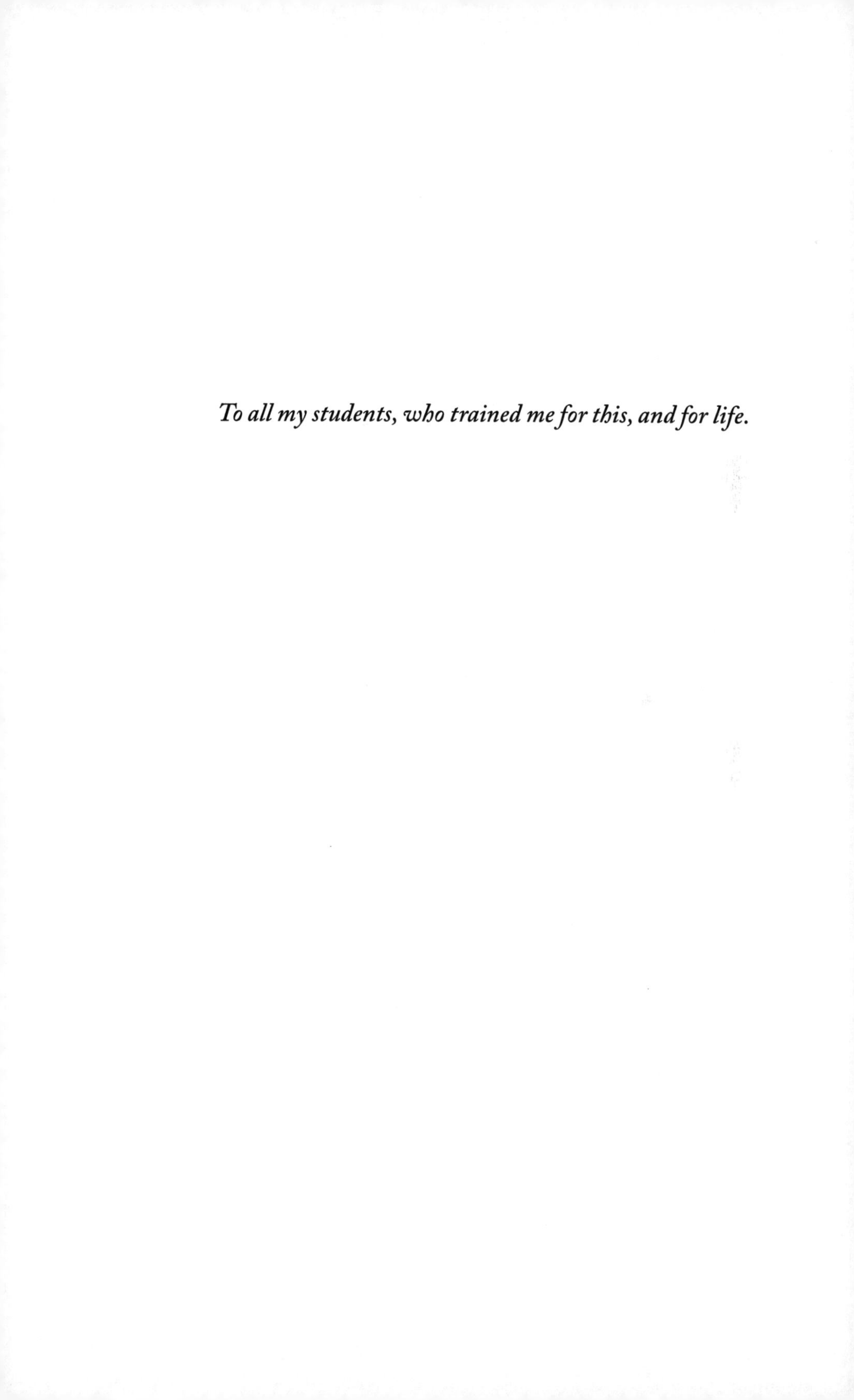

To all my students, who trained me for this, and for life.

CONTENTS

BEFORE YOU READ

FOR EDUCATORS AND LEARNERS

Listen to the Audiobook for free at **youtube.com/@inputwand**

THANK YOU FOR SUBSCRIBING, LIKING, COMMENTING AND SHARING

Get your Novice Low Input Wand Starter Kit (Communication Guide, Audio Communication Guide) for free when you join the Input Wand Magic Memo at

inputwand.com

What is a Communication Guide?

It is a set of compelling, comprehension-based and communication-enhancing pre-reading, reading, and post-reading tasks designed to help you enjoy, comprehend and communicate about this book, thus strengthening your mental representation of the target language in your brain/being.

The Audio Communication Guide is a set of distinct downloadable audio mp3s that give learners the all-important listening component of language acquisition, so...

Educators

You can guide your students in comprehending native speakers, and speaking like native-speakers starting now.

Learners

You can comprehend native speakers, and speak like native-speakers starting now.

Parents

You can guide your child in comprehending native speakers, and speaking like native-speakers starting now.

BUY THEM AT

inputwand.com

USER GUIDE

1. **Open the** COMMUNICATION **and** AUDIO COMMUNICATION GUIDE, **use both in tandem. Follow the instructions preceding each Task.**

2. **At a certain point in the** COMMUNICATION GUIDE, **you will be prompted to Read the** BOOK **and Listen to the** AUDIOBOOK.

3. **Read the** BOOK. **Listen to the** AUDIOBOOK.

4. **Keep going until you finish the** COMMUNICATION **&** AUDIO COMMUNICATION GUIDE .

5. **Repeat with all subsequent** BOOKS **in the** Novice Low Septology.

PRONOUNS & PUNCTUATION

At Input Wand, we seek to transform the human realm for the better in every way possible to us. We use one of the most powerful tools available to humans: words.

Throughout our materials you will find the usage of feminine pronouns when there are females present in the group being spoken about, regardless of how many of them there are present.

Patriarchal oppression has been ruling the human realm for at least four thousand years, and the conditioning starts at the level of language.

Although this phenomenon is present everywhere, it is easier to notice in gendered languages, such as Spanish and French, where females are made to internalize male pronouns to refer to themselves, regardless of whether they are present in equal amounts or in the majority—if there is even one male present, the pronouns defer to the male. Males, on the other hand, are never made to inhabit female pronouns.

With the common phrase "Oh My God", "Oh Dios Mío", "Oh Mon Dieu", Antonia always uses the word Goddess—Diosa—Déesse. You, as a learner and educator, are free to choose! We have made conscious choices, and wish for you to know that they are neither oversights nor mistakes, but intentional.

If English were a gendered, and not a neutral, language, we are sure anglophone feminists would have taken care of this issue long ago. We hope this serves as a springboard for authentic communication and important conversations in the classroom.

We have chosen to keep English-style dialogue punctuation because we believe it is the most universal and easily understood type of punctuation. To spend as little time as possible figuring out who said what or when an utterance ends can only aid and speed up acquisition.

Quijote y Yo

ESTAMOS TRISTES

¡Hola! Me llamo Antonia. Me llamo Antonia María Magdalena Altamirano Quijano. Yo tengo siete años. Yo vivo en La Mancha, España. Yo tengo un tío. Mi tío se llama Alonso. Mi tío se llama Alonso Quijano. A veces, mi tío dice:

"¡Yo me llamo Don Quijote de La Mancha! ¡Vamos a buscar aventuras Antonia!"

Cuando mi tío dice eso, yo estoy feliz. Cuando mi tío dice que se llama Don Quijote, él es muy chistoso. Cuando mi tío dice que se llama Don Quijote, él también es divertido. Entonces, cuando mi tío y yo estamos juntas, somos felices.

Pero, hay un problema. A mi mamá no le gusta cuando mi tío dice que se llama Don Quijote de La Mancha.

Mi tío es el hermano de mi mamá. Mi mamá es la hermana de mi tío. Mi mamá se llama Arabella Quijano de Altamirano. Ellas son hermanas. Hoy, mi tío dice que se llama Don Quijote de la Mancha y mi mamá dice:

"Alonso, ¡tú estás loco!"

Mi mamá está molesta. Mi tío dice:

"Sí, Arabella, ¡es divertido!"

Mi tío está feliz, pero mi mamá está molesta. Hoy, mi tío está MUY feliz. Él le dice a mi mamá:

"¡Voy a buscar aventuras con Antonia! ¡Vamos Antonia!"

¡Aventuras! ¡Qué divertido! ¡A mí me gustan las aventuras! ¡A mí me gusta buscar aventuras con mi tío! ¡Es muy divertido buscar aventuras con él!

Don Quijote está **feliz.**

Yo estoy feliz.

Nosotras estamos felices.

Pero, mi mamá dice:

"¡De **ninguna** manera!"

Don Quijote está triste.

Yo también estoy triste.

Nosotras estamos **tristes**.

"¡Ustedes están locas!"

dice mi mamá.

Entonces, mi tío dice:

"¡Vamos a buscar un caballo para Antonia! ¡Vamos Antonia!"

¡Un caballo! ¡Para mí!

¡Qué divertido[1]!

¡Yo no tengo

un caballo!

1 How fun

Mi tío tiene un caballo. Mi papá también tiene un caballo. Mi mamá también tiene un caballo. Ellos tienen caballos, pero yo no.

Yo estoy **feliz.**

Don Quijote está feliz.

Nosotras estamos felices.

Pero, mi mamá dice:

"¡De **ninguna** manera[2]!"

Yo estoy triste.

Don Quijote está **triste.**

Nosotras estamos **tristes.**

"¡Ustedes están locas!"

dice mi mamá.

---

2 No way

Entonces, mi tío dice:

"¡Vamos a buscar una espada para Antonia!"

¡Una espada!

¡Para mí!

¡Qué divertido!

¡Yo no tengo una

espada!

¡Mi tío tiene una espada! Él tiene una espada, pero yo no.

Yo estoy **feliz.**

Don Quijote está feliz.

Nosotras estamos felices.

Pero, mi mamá dice:

“¡De **ninguna manera**!”

Yo estoy **triste**.

Don Quijote también está **triste**.

Nosotras estamos **tristes**.

“¡Ustedes están locas!”

dice mi mamá.

Entonces, mi tío dice:

"¡Vamos a buscar un amigo para Antonia! ¡Vamos Antonia!"

¡Un amigo! ¡Para mí! ¡Qué divertido! ¡Yo no tengo amigos! Mi tío tiene amigos. Mi mamá también tiene amigos. Mi papá también tiene amigos. Ellos tienen amigos, pero yo no.

Don Quijote está **feliz.**

Yo estoy feliz.

Nosotras estamos felices.

Pero, mi mamá dice:

"¡De **ninguna** manera!"

Don Quijote está triste.

Yo estoy **triste.**

Nosotras estamos **tristes.**

"¡Ustedes están locas!"

dice mi mamá.

Mi tío está **triste**. Entonces, él no dice nada. Yo también estoy **triste**, entonces no digo nada. Nosotras estamos **tristes**, entonces, no decimos nada.

Entonces, mi mamá dice:

"¡Me llamo Dama Arafea de Bajomirano[3]!

¡Vamos a buscar aventuras, Antonia y

Don Quijote!"

Yo estoy **feliz**. Don Quijote también está **feliz**. Arafea también está **feliz**. Nosotras estamos **felices, ¡y vamos a buscar aventuras!**

---

3 Her original name, Arabella de Altamirano, has the word bella-beautiful and alta-tall in it. Her fun name is a play on words fea-ugly and bajo-short.

FIN

a to
amigo(s) friend(s)(m)
año(s) year(s)
aventuras adventures
asco disgust, (qué) how disgusting
buscar to look for
caballo(s) horse(s)
chistoso funny (m)
con with
cuando when
dama lady
de of, from
decimos we say
dice s/he says
digo I say
divertido fun (m) (qué) how fun
el the (m)
él he
ellas they (f)
ellos they (m)
en in
entonces so, then
es is
eso that
espada sword
España Spain
estamos we are
está s/he is
están they are
estás you are
estoy I am
felices happy (p)
feliz happy
le gusta s/he likes (s)
les gusta they like (s)
les gustan they like (p)
me gusta I like (s)
me gustan I like (p)
nos gusta we like (s)
te gusta you like (s)
te gustan you like (p)
hay there is
hermana(s) sister(s)
hermano brother
hola hello
hoy today
juntas together (f)
la the (f)
La Mancha a place in Spain
las the (pf)
le to her/him
llama s/he is called
llamo I am called
locas crazy (pf)
loco crazy (m)
mamá mom
me to me
mi my
mí me
molesta angry (f)
muy very
nada nothing
no no
nosotras we (f)
papá dad
para for
pero but
problema problem
que that
qué what, how
se itself, himself, herself, themselves, each other
siete seven
sí yes
somos we are
son they are
también also
tengo I have
tiene s/he has
tienen they have
tío uncle
triste sad
tristes sad (p)
tú you
un a (m)
una a (f)
ustedes you all
vamos we go, let's go
veces times (a) sometimes
vivo I live
voy I go
y and
yo I

INPUT WAND MISSION

To provide **Compelling, Comprehensible**, and **Communication-Enhancing** materials to **educators** world-wide so they can nurture a *research-based, proficiency-oriented*, and *input-focused* practice.

To provide **Compelling, Comprehensible**, and **Communication-Enhancing** materials to **learners** world-wide, so they can (*finally*) acquire languages with research-proven methods and materials.

To dispel *language acquisition myths* by providing **research-based, clear** and **true** information on how humans acquire languages.

THE SIX PRINCIPLES OF LANGUAGE ACQUISITION[1]

1. Teaching Communicatively Implies a Definition of Communication:

   Communication is the expression, interpretation, and sometimes negotiation of meaning in a given context. It is also purposeful.

2. Language is Too Abstract and Complex to Teach and Learn Explicitly (through grammar and memorization)
3. Language Acquisition is Constrained by Internal and External Factors
4. Instructors and Materials Should Provide Appropriate Level Input and Interaction
5. Tasks Should Form the Backbone of the Communicative Curriculum
6. Any Focus on Form Should be Input-Oriented and Meaning-Based

---

1 VanPatten, B. (2017). While We're On the Topic: BVP on Language, Acquisition, and Classroom Practice (1st ed.). ACTFL.

ABOUT THE WITCH

Constanza Smita Ontaneda Rehman-Khedker was born in India and grew up in Perú, Brazil, Romania and the United States. She holds an MA in Latin American Studies from New York University and an MA in Publishing from Western Colorado University.

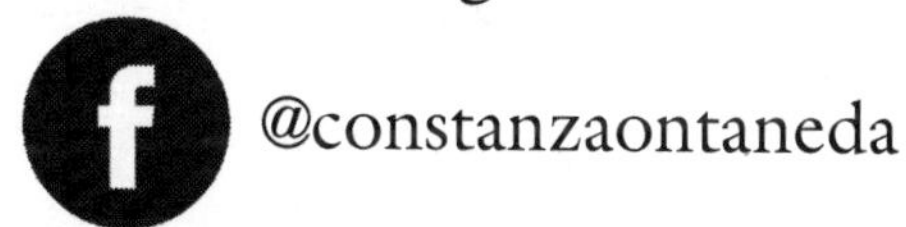

ABOUT THE OTHER WITCH

Marcia Noelia Sara Fernandez is an illustrator who lives in Buenos Aires, Argentina. She studied Visual Arts and illustrates books for children and young adults.

WANNA KEEP LEARNING?

If you would like to keep strengthening your mental representation of this language, try:

Join our **Input Wand Magic Memo**

...to unlock your true language acquisition journey.

Finally.

Join at **inputwand.com**

LOVE FRENCH?

Try:

Get a free *Starter Kit* when you join the **Input Wand Magic Memo** at **inputwand.com**

Thank you!

And please leave REVIEWS!

(like...right now:)

They help!

Printed in Great Britain
by Amazon

40355340R00020